Het spook van Villa Poetskatoen

Ibis
tekeningen van Hugo van Look

Arno gaat logeren

Arno stond in zijn uppie op het smoorhete perron van het station van Kiekengat.
Hij verschoof zijn bultige sporttas met zijn voet en keek zoekend om zich heen.
Oom Joep zou hem van de trein halen, dat was afgesproken.
Zijn vader en moeder hadden Arno vanmiddag uitgezwaaid.
Ze zouden zes weken naar Amerika gaan, voor hun werk.
Arno ging de hele vakantie logeren bij oom Joep en tante Hillechien.
Die woonden een eind buiten Kiekengat in een groot huis: Villa Parelhoen.
Ze hadden een zoon die negen jaar was, net als Arno.
Die knul heette Lodewijk.
En er woonde nog een tweelingzus van tante Hillechien: tante Hillegonda.
Arno kende hen geen van allen, hij had ze nog nooit gezien.
Maar hij was niet bang, Arno was nooit bang.
Hij wist zich altijd te redden!
Daar kwam een man het perron op struikelen.
Hij had een verfrommeld blauw pak aan en zijn haar zat in de war.
Wild keek hij om zich heen.

3

'Goeie grutten, ben jij mijn neefje Arno?' riep hij uit.
'Ik kreeg onderweg zo'n geweldig idee, ik moest even stoppen!

Het heeft te maken met een nieuw soort geheugen dat ik ontwerp voor computers.

Ik dacht eraan dat ik de bits en bytes...'
Hij stopte en zijn ogen werden glazig.

Hij trok haastig een blocnootje uit zijn zak en begon te krabbelen.

Arno stond geduldig naast hem en keek verbaasd toe.

Maar na tien minuten trok hij zijn oom toch maar eens aan zijn mouw.

'Eh... hallo... oom Joep?'

Oom Joep keek verstrooid op.

'Wat is er jochie, stoor me nou niet.

Ik sta te wachten op mijn neefje.'

'Eh... oom, ik bén uw neefje, Arno, weet u nog?'

Oom Joep begon hevig te blozen.

Hij klapte zijn blocnootje dicht.

'O barst, helemaal vergeten, sorry knul, sorry, sorry!

Laten we gauw naar je tantes gaan voor ik je wéér vergeet.'

Oom Joep tilde Arno's enorme sporttas op.

'Geef mij die maar, lieve help, knul, wat zit erin?

Bakstenen, of stoeptegels of zoiets?'

'Onderbroeken voor tweehonderd dagen, oom,' zei Arno met een grijns van oor tot oor.

'Voor het geval tante vergeet te wassen!'

Een huis dat blinkt als snot in de zon

Het was nog een heel eind rijden met de auto.
Gelukkig werd het al wat koeler.
De zon ging langzaam onder, en werd vuurrood.
Oom Joep en Arno reden door golvende heidevelden
en dichte bossen.
'We rijden naar het einde van de wereld,' mompelde
Arno bij zichzelf.
Eindelijk zei oom Joep: 'Kijk, daar ligt Villa
Parelhoen!'
Hij wees door de voorruit naar een groot gebouw op
een heuvel.
Arno hield zijn adem in.
'Wauw!' riep hij toen uit.
'Het lijkt wel een kastéél!'
Verrukt keek hij naar het huis, dat drie lage torens
had en overal balkons.
Het glansde in het gouden avondlicht.
Alle hoge ramen blonken als spiegels.
Arno grinnikte.
'Weet u wat vader zou zeggen?
Dat huis blinkt als snot in de zon!'
Oom Joep lachte bulderend, met zijn hoofd in zijn
nek.
'Dat is een goeie, dekselse knul!' gierde hij.
'Dat heb je rap gezien.
Je tante Hillechien poetst tot zelfs de dakpannen

blinken.

En je tante Hillegonda zou het liefst het grind nog
kiezel voor kiezel afsoppen.

Pas dus maar op!

Die brave dames griezelen van vuil en vlekken,
knoop dat in je oren!'

Toen draaide oom Joep met een zwierige bocht de
oprijlaan op.

De banden knersten over het hagelwitte grind, toen
de auto voor het bordes remde.

Nog voor Arno de auto uit was, zwaaide de voordeur
open.

Twee dametjes, die precies op elkaar leken, stapten
druk gebarend naar buiten.

'Nee maar, daar hebben we neef Arno!' riep de een.

'Welkom, hartelijk welkom, beste jongen!' riep de
ander.

Met blosjes van plezier daalden ze de treetjes af.

Vóór Arno het wist, had hij een paar dikke
klapzoenen te pakken.

Hij griezelde, maar durfde zijn wangen niet af te
poetsen.

Verlegen begon hij aan zijn tas te sjorren.

'Dat doet oom Joep wel,' zei een van de tantes
beslist.

'Kom toch binnen, mijn jongen, kom toch binnen!'

Villa Poetskatoen!

Arno wipte de treetjes van het bordes op.
Hij wilde juist over de drempel van de voordeur
stappen, toen er een kreet klonk.
'Wacht!'
Verbaasd keek hij over zijn schouder.
De tantes dribbelden gehaast op hem af en pakten
hem ieder bij een arm.
Ze glimlachten guitig naar hem, en schudden hun
wijsvingers.
'Eerst je schoenen uit, voor je binnen gaat, lieve
jongen,' zei de een.
'En je sokken ook, doddekop,' zei de ander.
'Ja, anders wordt de vloer vuil,' kweelden ze samen.
Arno keek naar binnen.
De vloer blonk zo, dat je het plafond met engeltjes
erin weerspiegeld zag.
Natuurlijk zou hij zijn schoenen uitdoen, maar...
'Sokken ook?' vroeg hij verbaasd.
De tantes knikten stralend.
'Ze zijn vast vies van de reis,' zei tante Hillegonda,
of was het Hillechien?
'In je tas heb je wel schone,' troostte tante
Hillechien, of was het Hillegonda?
Ze bleven pal voor Arno's neus staan, dus er zat niets
anders op.
Hij trok zijn schoenen en sokken uit en ritste zijn

sporttas open.

Die zat zo barstensvol dat er meteen een berg
uitpuilde.

En natuurlijk zaten zijn schone sokken helemaal
onderin.

Met een rood hoofd graaide Arno in zijn tas.

Hij trok er een paar lange broeken uit om er beter bij
te kunnen.

En wat shirts, zijn voetbalschoenen, een trui en een
jas.

Ook zijn leren voetbal pulkte Arno uit zijn reistas.

De tantes slaakten allebei tegelijk een gil.

Arno stopte met zijn gerommel en keek op.

Hij zag hoe ze ontzet naar de voetbal staarden.

'Een voetbal, dat kan hier niet!' riepen ze uit.

'Modderschoenen!' griezelde de een.

'Vieze knieën!' huiverde de ander.

Oom Joep pakte de bal en zei:

'Ik zal hem voor je bewaren knul.

We doen hier niets waar we vuil van worden,

dus geen voetballerij, helaas pindakaas.'

Arno boog zijn hoofd en trok schone sokken aan.

Wat doen ze hier dán de hele dag, dacht hij
verbijsterd.

Als een antwoord op zijn vraag ging de haldeur
open.

Een bleek, spichtig jongetje glipte naar binnen.

Sprietig blond haar zat op zijn voorhoofd geplakt.

Hij had witte kleren aan zonder één vlekje erop.

Aan zijn brandschone handen had hij keurig geknipte nagels zonder rouwrandjes.

'Ik ben in bad geweest mam,' zei hij braaf.

Hij keek naar de tante met het kuiltje in haar kin.

Dus dát is tante Hillechien, dacht Arno.

Hij prentte het in zijn hoofd.

En dát moet dan neef Lodewijk zijn,

wat een bleekscheet!

'Dag mijn lieve Lodewijk,' zei tante Hillechien.

Ze draaide zich naar Arno.

'Dit is je neefje Lodewijk, is hij niet keurig netjes?' straalde ze.

'We gaan hier dan ook allemaal drie keer per dag in bad!'

Arno verslikte zich van schrik in zijn eigen spuug.

Help, waar ben ik terechtgekomen, dacht hij in paniek.

Dit wordt een leuke vakantie, maar niet heus!

Ze zijn in dit huis knettergek!

Tjonge jonge, Villa Parelhoen?

Zeg maar liever: Villa Poetskatoen!

Een neef met twee computers

Niet lang na Arno's aankomst moest hij in bad en naar bed.

Hij sliep als een blok, moe als hij was van de lange reis.

De volgende dag krabbelde oom Joep aan het ontbijt alweer op zijn blocnootje.

Hij keek verstrooid op toen Arno 'Goeiemorgen oom!' zei.

'Goeiemorgen,' antwoordde hij, en roerde afwezig met zijn potlood in de pap.

Naast de tafel stond een bruine leren koffer.

'Je oom gaat op reis,' verklaarde tante Hillechien, toen ze Arno ernaar zag kijken.

'Naar iets belangrijks over computers en zo.

Hij komt pas over twee weken weer terug.'

Hij ook al, dacht Arno; toe maar!

Hij keek mismoedig naar het dampende bord pap voor zijn neus.

De tantes hielden niet van brood, want dat gaf maar kruimels.

Arno had de pest aan pap.

Oom Joep was de deur nog niet uit, of de tantes sprongen overeind.

'Ziezo,' jubelde Hillegonda.

'En nu moet Lodewijk Arno maar eens mee naar

boven nemen.

Dan kunnen wij de eetkamer een beurtje geven.'

Arno keek de eetkamer rond.

Er was geen stofje of vlekje te zien.

Wat moest hier nou gepoetst worden?

Hij haalde zijn schouders op.

Braaf volgde hij de bleke Lodewijk de trap op.

Boven opende Lodewijk de deur van een kamer die naast hun slaapkamer lag.

Arno bleef verrast op de drempel staan.

'Wauw, twéé computers!,' riep hij uit.

'Het nieuwste van het nieuwste!' zei Lodewijk trots.

'Brengt mijn vader altijd mee van de zaak, weet je.

Ik speel altijd op de computer.

Iets anders mag ik niet, want van andere dingen word je vuil.

O ja, en achter de tv, dat mag ik ook.'

Hij schoof achter een van de computers en zette hem aan.

Fel gekleurde griezels fladderden over het beeldscherm en er klonk spannende muziek.

In grote grillige letters verscheen de titel van het spel: Geesten om middernacht.

Een holle, spookachtige schaterlach schalde uit de computer en stierf toen langzaam weg.

'Zullen we een potje?' vroeg Lodewijk.

'Yes!' zei Arno enthousiast, terwijl hij de muis greep.

Rare geluiden in de nacht

De hele dag kozen ze de ene na de andere cd-rom uit
Lodewijks kast.
Arno had nog nooit zo'n te gekke dag gehad, op de
badbeurten na dan.
Ze gingen hier écht drie keer per dag in bad, die
mafkezen!
Om negen uur die avond moesten de beide neven er
weer aan geloven.
Daarna mochten ze nog chocomel drinken in de
salon.
Ze kregen een servet zo groot als een beddenlaken
om hun nek!
Arno voelde zich belachelijk, maar de chocomel was
lekker.
De tantes zaten als twee kippetjes naast elkaar op de
sofa.
Ze keken angstig toe of de jongens niet morsten.
Toen de klok tien sloeg, dook iedereen zijn bed in.

Arno kon de slaap niet vatten.
Het was overal donker en doodstil.
Villa Poetskatoen stond ver van de bewoonde wereld,
bedacht hij.
In de verte loeide slaperig een koe, dat was alles.
Alles?
Nee. Tik tik tik tik tik, bóm bóm bóm!

Arno ging met een ruk rechtop in bed zitten.

Goeie genade, wat was dat voor lawaai?

Even dacht hij dat hij gedroomd had, toen begon het opnieuw: tok tok tók.

Daarna een geluid of er een knikker wegrolde, ergens diep onder het huis.

'Lodewijk!' riep Arno zachtjes.

'Hé, Lóód, wat is dat geklop en gebonk?'

Hij tuurde in het donker naar Lodewijks bed, maar zag alleen een bibberende bult.

Zijn neef was diep onder zijn dekbed gekropen.

'Lodewijk, doe niet zo raar, wat is dat geluid?

Welke idioot is er zo laat nog aan het werk?

Wordt er getimmerd of zoiets?

Hé, Lodewijk!'

Onder het dekbed klonk gesmoord de stem van Lodewijk.

'Het is n... niks... h... helemaal niks niemendal.

Ik d... denk dat ze de v... verwarming aan het repareren z... zijn!'

Verwarming, me hoela, dacht Arno, midden in de zomer zeker!

De mussen vallen dood van het dak, zo heet is het.

Maak dat de kat wijs, jochie.

Hij lag stil te luisteren naar de vreemde geluiden.

Ze gingen nog een tijdlang door.

Toen klonk er een harde bons en was het afgelopen.

Wat zou het toch geweest zijn?

Dit Huis Zal Niet Vies Worden, Nooit!

'Wordt er in de kelder soms aan de verwarming gewerkt, tante?'

Arno stelde de vraag met een onschuldig gezicht.

Ze zaten aan het ontbijt en tante Hillechien schepte de pap in de borden.

Ze keek haar neefje bevreemd aan.

'Aan de verwarming gewerkt, nee, hoezo?'

'Nou, ik hoorde vannacht zulke vreemde geluiden. Hameren en kloppen, tikken op buizen; wat is dat dan?'

Er kletterde een lepel op een porseleinen bord.

De pap spatte over het tafellaken.

Ze keken allemaal naar tante Hillegonda, die snel haar lepel weer oppakte.

Haar handen beefden en ze zag zeer witjes om haar neus.

Lodewijk durfde Arno niet aan te kijken.

Tante Hillechien zette haar brilletje wat rechter.

Ze schraapte haar keel.

'Dat is niets!' zei ze beslist.

'Ik denk dat je gedroomd hebt, Arno-lief.

Geef me de boter even door, Hillegonda, alsjeblieft.'

Meer werd er niet over gezegd, en Arno durfde niet verder te vragen.

Maar hij wist zeker dat hij niet gedroomd had!

'Zo,' zei tante Hillechien opgewekt, toen ze allemaal

hun pap op hadden.

'En wat zijn de plannen van onze jongeheren voor vandaag?'

'Ik zou graag naar buiten gaan, tante,' liet Arno weten.

'Ik ben benieuwd naar de omgeving en het is zulk lekker weer!'

Het was of de tantes bevroren.

'Lieverd, dat lijkt me niet zo'n best idee,' zei Hillegonda met een zuinig mondje.

'We moeten de keuken een grote beurt geven,' bracht Hillechien in.

'En het koper moeten we poetsen,' vulde Hillegonda aan.

'En kijk eens naar de vloer onder je voeten, die moeten we nodig boenen!'

Arno keek naar de vloer en zag er zijn gezicht in spiegelen.

Hij haalde zijn schouders op.

'U hebt een hoop werk, dat hoor ik wel,' zei hij beleefd.

'Maar dat heeft toch niets met Lood en mij te maken?

Wij kunnen toch gewoon naar buiten?

Dan lopen we u ook niet voor de voeten!'

Tante Hillechien en tante Hillegonda wisselden een blik.

'Dat zal niet gaan, engel,' zei tante Hillechien beslist.

'Het is hier niet de gewoonte, dat jongetjes álléén naar buiten gaan.

Ze zouden zich ont-zet-tend vuil maken!'

'We kunnen jullie morgen wel eens mee uit wandelen nemen,' bood Hillegonda goedhartig aan.

'Overmorgen, zus,' waarschuwde Hillechien.

'Morgen moeten we de kasten soppen, en alle kleren moeten gelucht.'

'Dat is waar,' beaamde Hillegonda.

'Dat was ik al weer vergeten.'

Arno keek zijn tante Hillechien wanhopig aan.

'Maar tante...'

'Geen maren, Arno,' viel ze hem in de rede.

'Wat ik zeg, gebeurt: overmorgen mogen jullie een uurtje met ons gaan wandelen.'

Arno zag wel, dat zijn tante niet te vermurwen zou zijn.

Haar blik was vriendelijk, maar vastberaden: Dit Huis Zal Niet Vies Worden, Nooit!

Hij zakte als een pudding in elkaar op zijn stoel.

'Zo, lieve schatten, gaan jullie nou maar lekker achter de computer,' kirde Hillegonda.

'Dan zijn jullie van de vloer en je wordt niet smerig. Om elf uur drinken we samen koffie en een glaasje prik.'

En daar hadden ze het maar mee te doen.

De geschiedenis van Jeremias

Arno schoof lusteloos de muis van de computer heen
en weer over zijn matje.
Hij was dol op computeren, maar niet als het móest!
Hij staarde door het raam naar het bos dichtbij.
'Waarom doen je moeder en je tante zo raar?' vroeg
hij opeens aan Lodewijk.
'Hoe hou je het uit, man!'
Lodewijk was juist bezig de vijand in de pan te
hakken.
Nog tien punten, dan kon hij een level hoger.
'Huh, wat?' vroeg hij verstrooid.
'Dat maffe gepoets en geboen!' zei Arno boos.
'Doen ze dat altijd?'
Het muziekje klonk en Lodewijk slaakte een kreet.
'Yes, ik ben er!' kraaide hij.
Toen keek hij Arno aan. 'Wat zeg je nou allemaal?'
'Hoe je het uithoudt hier in huis!' brulde Arno.
'Waarom zijn je moeder en je tante zo razend bang
van vlekken en vuil?'
Lodewijk stond op van zijn stoel en liep naar de kast.
Uit een la haalde hij een klein mapje.
'Kom eens hier,' zei hij en ging op bed zitten.
Arno ging nieuwsgierig naast hem zitten.
Lodewijk sloeg het boekje open en bladerde erin.
Het was een foto-album met oude zwart-wit foto's,
een beetje wazig.

'Kijk,' zei Lodewijk, 'hier heb ik hem.'

Arno boog zich over de bladzijde die Lodewijk hem voorhield.

Hij zag een foto van twee meisjes die precies op elkaar leken.

Ze hadden keurige witte jurkjes aan en witte strikken in hun haar.

Tussen hen in stond een smoezelig jongetje met vuile knieën.

Zijn haar zat in de war en op zijn trui zat een vlek.

De twee meisjes keken ernstig in de lens.

Het jongetje had een stralende lach.

'Die meisjes zijn mijn moeder en tante Hillegonda,' vertelde Lodewijk.

'En tussen hen in staat hun broertje, Jeremias.'

Arno bekeek het drietal.

'Dus die twee dames waren vroeger al zo keurig,' merkte hij op.

'Iedereen moest altijd keurig zijn, als de fotograaf kwam,' grinnikte Lodewijk.

'Maar met oom Jeremias had je een probleem.

Hij kon nooit langer dan twee minuten schoon blijven!

Mijn moeder heeft me het verhaal vaak verteld.

Die fotograaf was eindeloos bezig om hen naar zijn zin neer te zetten.

Hoofd nog een beetje zus, hand ietsje meer zo.

Jeremias nam steeds de kuierlatten!

Ze hebben hem voor deze foto wel vier keer opnieuw schoongeboend.

Iedere keer zag hij kans, zich tussendoor vuil te maken.

Toen vond de fotograaf het welletjes: dan maar smerig op de foto!'

Ze lachten allebei.

'Maar waarom zijn ze nou zo bang voor viezigheid?' vroeg Arno.

Lodewijk keek ernstig. 'Er is iets ontzettends gebeurd.

Weet je, vroeger vertelden grote mensen aan kleine kinderen enge verhalen.

Ze vertelden bijvoorbeeld dat de kleermaker je duimen af zou knippen als je duimde.

En dat een gemene, griezelige boeman je zou komen halen als je stout was.

Ook vieze kinderen zouden meegenomen worden naar een ver en akelig land.

Maar oom Jeremias lachte om die verhalen, hij was en bleef hartstikke vies!

En op een dag... op een dag verdween hij.

Ze hebben hem nooit meer teruggezien.'

'Verdwéén hij?' riep Arno geschokt uit.

'Hoe kan dat nou, boemannen bestaan niet!'

Lodewijk haalde zijn schouders op.

'Toch is het zo. Sindsdien zijn mama en tante bang.

Doodsbang, dat het wéér gebeuren zal.

Niks en niemand mag dan ook ooit meer vies
wezen.'
Lodewijk tuurde stil naar de vergeelde foto.
'Ze hielden erg veel van hun broertje,' zei hij zacht.

Spoken!

Die avond lag Arno weer lang wakker.

Hij hoorde het bliepen en buzzen van de computers nog in zijn oren.

De hele lieve lange dag hadden ze erop gespeeld, tot vervelens toe.

Arno was zo duf als een konijn met vierkante oogjes.

Wat had hij zin in een potje voetbal!

Zou hij morgen niet eens stiekem wegsluipen, naar het bos of zo?

Maar nee, daar kwam vast en zeker gedonder van.

En hij moest het hier nog zes eindeloze weken zien uit te houden.

Met een diepe zucht draaide Arno zich om in bed.

En toen begon het weer.

Tik tik tik tik tik tik, tók tók tók!

Arno schoot met een ruk overeind in zijn bed.

'Lóód, nu ga je me vertellen wat dit is!' brulde hij hees.

Maar Lodewijk lag alweer te bibberen onder zijn dekbed.

Tik tik - tok tok tok - béng, béng!

'Lodewijk,' zei Arno dreigend.

'Het spookt hier, of niet soms?'

Met drie grote stappen was hij bij Lodewijks bed.

Hij trok met een ruk het dekbed weg.

Lodewijk probeerde jammerend zijn beddengoed te grijpen, maar Arno gaf hem een harde duw.

'Doe niet zo flauw, wat kan je nou gebeuren?

Die geluiden lijken wel uit de vloeren en uit de muren te komen.

Wat is dat toch, en nou geen gezeur over de verwarming alsjeblieft!'

'K-k-klopgeesten,' bibberde Lodewijk, die groen om zijn neus zag.

'Het sp-sp-spookt h-hier, m-maar dat mocht ik van mijn m-moeder niet vertellen...

Z-ze was b-bang dat jij b-bang zou worden!'

'Wauw,' fluisterde Arno vol ontzag.

'Een écht spookhuis!

Vertel op, wat zijn dat voor spoken?'

Het geklop en gebonk ging door, dan weer harder, dan weer zacht.

Lodewijk zag eruit of hij over moest geven.

'Graaf Stetterbeen,' piepte hij benauwd.

'Hij woonde in dit huis voor mijn moeders opa hier kwam wonen.

Hij was een rijke stinkerd met een vrouw en zeven dochters.

Die heeft hij stuk voor stuk gruwelijk vermoord!'

'Zo!' zei Arno onder de indruk.

'En spoken die dames met die gezellige kwibus hier nu allemaal rond?'

'J-ja, de hele familie, sinds een jaar of veertig.'

'Hoezo, sinds veertig jaar, die gezellige graaf is toch
veel langer geleden tekeer gegaan?
Hebben die spoken eerst een winterslaap gehouden
of zo?'
'K-kweenie...'

Het geklop stopte en in de stilte hoorden de jongens hun hart tekeer gaan.

Toen klonk opeens een zagend geluid.

Lodewijk schreeuwde ontzet en verdween met een snoekduik onder zijn bed.

'Nu zaagt de graaf de gravin in stukken!'

'Hè, getver, hoe kan dat nou,' zei Arno, 'kom onder dat bed uit, man.

Hoe kan je nou in vredesnaam een géést doormidden zagen!'

Er klonk een luid geknars en gekraak.

Het was een luguber geluid in de donkere, stille nacht.

Arno trok wit weg en Lodewijk jammerde: 'Zie je wel, dat waren haar botten!'

'Dat kan toch helemaal niet, mafkees?' foeterde Arno.

'Een geest heeft geen botten!'

'Dan is het vast een wandelend skelet!'

'Nou, als dat de botten van een skelet waren, dan wandelt het niet hard meer.

Dan ligt het nou in minstens duizend stukjes!'

De twee jongens zaten verstijfd te luisteren.

Maar het spook was na zijn zaagwerk zeker bekaf.

Er klonk nog wat lauw geklop, toen werd het stil.

Alleen het klappertanden van Lodewijk was nog lang te horen.

Uit wandelen

Het duurde toch nog vier dagen voor de tantes met
hun neefjes gingen wandelen.
Ze moesten eerst het bordes nog schrobben en de
ramen moesten dringend gelapt.
En tante Hillegonda kwam op het idee, dat alle
gordijnen een sopje nodig hadden.
Al die tijd moesten de jongens binnen blijven.
Arno had nog nooit zo gebaald van een computer.
En ook de tv kon voor zijn part bij het vuilnis.
Hij wilde alleen nog maar buiten raggen, lekker
voetballen en in bomen klimmen.
Maar daar werd je vuil van.
Van het spook hadden ze al nachten niets meer
gehoord.
Zeker per ongeluk in de stofzuiger verdwenen, dacht
Arno schamper.

Op woensdag zei tante Hillechien met tegenzin:
'Nou, vooruit dan maar.
We kunnen wel een uurtje gaan wandelen.
Daarna is er nog wel tijd voor de zolder, Hillegonda.'
Hillegonda stemde in en deed haar schort af.
Stralend knikte ze de kinderen toe: 'Gaan jullie mee,
jongens?'
De jongens wilden maar al te graag!
Ze stonden al bij de voordeur te trappelen.

Arno ademde diep de frisse buitenlucht in, die hij
zolang gemist had.
'Moeten we geen bal mee, of zo?' vroeg hij.
Hij bevroor, toen hij tantes misnoegde blik zag.
'We gaan wándelen, Arnoldus!' snibde ze.
'Sorry,' mompelde Arno.
Hij kon wel huilen.
Wándelen, alsof ze oude mannetjes waren!
Met de smoor in slenterde hij braaf met de tantes
mee.
Hij schopte nijdig tegen elke steen op zijn pad.
Tante Hillegonda zag het en keek hem droevig aan.
'Arnootje, denk om je schoenen!' koerde ze.
'Ze zullen stuk gaan en denk om al dat stof dat je op
schopt!'
Ik vermóórd ze, dacht Arno woest.
Dan hebben we er twee spoken bij in Villa
Poetskatoen!

Ze wandelden door het bos achter het huis.
Er stonden overal prachtige klimbomen met takken
tot bijna op de grond.
Op zonnige plekken hingen al rijpe, zwart
glimmende bramen.
Maar de jongens moesten op het pad blijven, en
Arno baalde als een stekker.
Binnen een uur kwam Villa Poetskatoen alweer in
zicht.

Toen gebeurde het.

Arno liep zó naar boven te turen dat hij niet op de weg lette.

Hij had een roofvogel ontdekt die stond te bidden hoog boven een heideveld.

Was het een buizerd of een valk?

Hoe was het ook weer?

Buizerds hadden een brede staart en valken... of was het andersom?

Arno zag niet hoe een ruiterpad hun pad kruiste.

En hoe een paard iets had laten vallen op het zand van de wandelweg.

Iets waar honderd dikke vette vliegen smullend omheen zoemden.

Flots!

Hij trapte er midden in.

Lodewijk kreeg prompt de slappe lach.

Maar tante Hillegonda gaf een gil van ontzetting.

Tante Hillechien werd donkerpaars.

Ze hapte naar adem.

Beteuterd stond Arno tot aan zijn enkels in de verse paardenpoep.

Spoken eten niet!

De tantes waren in alle staten.
Ze bleven angstig vér uit Arno's buurt.
Alsof hij een enge ziekte had!
'Kijk nou toch eens naar je vieze smerige voeten!'
raasde tante Hillechien.
'Hij zit helemaal onder de paarden... eh...' jammerde
tante Hillegonda.
Hillechien dreef haar neefje schuimbekkend voor
zich uit naar huis.
Lodewijk sloop stilletjes achter hen aan.
Op het bordes moest Arno zijn schoenen en sokken
uittrekken.
Griezelend dumpte tante Hillegonda de stinkende
spullen in de vuilnisbak.
'Hé, mijn nieuwe sportschoenen!' riep Arno
vertwijfeld.
'Hou je mond, viezerik!' beet tante Hillechien hem
toe.
Hij moest een paar oude huisslofjes van Hillegonda
aantrekken.
En toen joegen ze hem naar boven, naar de
badkamer.
Daar drukten ze hem een harde borstel in zijn
handen en een stuk zeep.
Onder toezicht van de tantes moest hij zijn voeten
schrobben tot ze vuurrood zagen.

Lodewijk wachtte op een krukje in de gang.
Eindelijk ging de deur van de badkamer open en
werd Arno naar buiten geduwd.
Met opeen geknepen lippen marcheerden de tantes
achter hem aan de gang in.
'Naar de salon!' beval tante Hillechien kortaf.

Maar tante Hillegonda keek alweer wat vriendelijker.
Zij kon nooit lang boos blijven.

In de salon hield tante Hillechien een lange preek.
Ze verbood de jongens voor de rest van de vakantie
buiten te komen.
'Buiten spelen is ook nergens goed voor,' zei ze.
'Je wordt er alleen maar vies van, dat hebben we nu
wel gezien!
Als je valken wilt zien, kijk je maar video!'
'Jullie hebben toch jullie computers,' pleitte
Hillegonda met zachte stem.
'Die zijn heel leerzaam en leuk.
Het geeft geen rommel en je wordt er handig en slim
van.
Wat wil je nog meer?'
Toen stond ze op en ging thee zetten om de vrede te
sluiten.

Toen ze terugkwam, was ze zo fladderig als een
verschrikte mus.
De thee klotste uit de tuit van de theepot.
Met grote ronde ogen keek ze haar zuster aan.
'Ik heb een nieuw pakje biscuitjes uit de kelder
moeten halen,' zei ze ademloos.
Bevend zette ze het dienblad neer.
Toen zei ze met trillende stem: 'En het was weer
zover.'

Tante Hillechien schrok en keek naar de beide knullen.

'Gaan jullie nou maar fijn spelen, jongens,' wuifde ze hen weg.

'Ik moet even met tante Hillegonda praten.'

Arno en Lodewijk verlieten de salon.

Op de gang vroeg Arno: 'Wat is er aan de hand? Wát was weer zover?'

Lodewijk bibberde.

'Ze denken dat ik er niks vanaf weet.

Maar ik heb ze er wel eens over horen praten.

Er verdwijnt eten uit de kelders, steeds met kleine beetjes tegelijk...

Ze denken, dat de geest van graaf Stetterbeen er rondwaart en eten steelt.'

Arno's mond viel open.

'Wát?

Doe niet zo belachelijk man, wat moet een geest met eten doen?

Spoken eten niet!'

Een vloek onder de grond

Twee nachten later was het weer raak, en hoe!
Het begon met een zacht tikken, maar al gauw
galmde het geklop door de gangen.
Arno was meteen klaarwakker en sprong uit zijn bed.
'Lood, schei uit met bibberen,' zei hij en porde zijn
neef uit bed.
'Kom mee, naar beneden, ik wil dat etende spook
wel eens zien!'
Het enige antwoord was een gesmoord gejammer
onder het dekbed.
Maar Arno trok zonder pardon alle beddengoed op
de grond.
'Eruit mafketel.
Op je computer doe je de hele dag niks anders dan
spoken verslaan!'
'M-maar die zijn niet echt!'
'Deze ook niet, spoken bestaan niet.
Het moet iets anders zijn dat zo'n lawaai maakt.
En ik wil wel eens weten wát, kom mee.'
Arno pakte Lodewijk stevig bij zijn pyjamajas vast.
Een tijdje stonden ze in de gang doodstil te luisteren
naar de spookgeluiden.
Lodewijk kreunde van ellende en zijn tanden
klapperden.
'Volgens mij komt het van beneden,' zei Arno
grimmig.

Hij sleurde Lodewijk mee de trap af, terwijl het dreigende geklop aan bleef houden.

Het leek van alle kanten op hen af te stormen.

Het daverde door de donkere nacht.

Lodewijk liep te janken van angst.

Arno voelde zijn hart in zijn keel bonzen.

Maar hij wilde het geheim van Villa Poetskatoen te weten komen!

Dus liep hij verder, zoekend, kijkend en luisterend.

Hoe verder ze naar beneden gingen, hoe harder het kloppen klonk.

Het leek onder de grond vandaan te komen.

De twee jongens slopen over de koude plavuizen van de keuken.

Arno trok bevend de deur van de grote kelder open.

Het lawaai was hier oorverdovend, maar er was niets te zien.

Lodewijk gaf een gil en wilde wegrennen, maar Arno hield hem stevig vast.

'Blijf hier, schijtluis!' zei hij hees.

Opeens klonk er een kletterend geluid, alsof er iets viel.

'Au!' schreeuwde het spook.

En er volgde een gemene vloek.

Op spokenjacht

De volgende morgen na het ontbijt verdwenen de
tantes naar zolder.
Ze hadden besloten dat daar grote schoonmaak
gehouden moest worden.
'Mooi zo,' zei Arno, 'die zijn uit de buurt.
Dan kunnen wij eens goed in de kelder rondkijken!'
Lodewijk werd groen om zijn neus.
'In de k... kelder?'
Wat w... wil je daar doen?'
'Op spokenjacht natuurlijk,' zei Arno grimmig.
'Lijkt me gaaf om dat vloekende spook eens een
handje te geven!
Vannacht was het in de kelder te donker om je eigen
neus te zien.
Maar nu kunnen we op zoek naar een luik of zoiets.'
'I... ik g... ga niet mee hoor, als je dat soms denkt!'
zei Lodewijk half huilend.
'Ook best,' zei Arno en haalde zijn schouders op.
'Dan ga ik wel alleen, blijf jij maar op je kamer.
Komt trouwens best goed uit.
Als tante Hillechien binnenstruint, zeg je maar dat ik
op de wc zit.'

Even later daalde Arno met kloppend hart het trapje
naar de kelder af.
De zon scheen binnen door de smalle raampjes

bovenin.

Die zaten van buitenaf gezien net boven de grond.

De kelder zag er nu heel anders uit dan vannacht,
veel minder griezelig.

Arno haalde opgelucht adem en keek eens rond.

Natuurlijk kon je van de vloer eten, daar zorgden de
tantes wel voor.

De voorraad stond in nette rijen op blinkend gesopte
planken langs de muur.

In de hoek bij het trapje stond een kist gereedschap.

Waar kon een spook zich hier verbergen?

Op handen en voeten kroop Arno door de kelder.

Hij bekeek de geschrobde plavuizen, de plinten en de
bakstenen muren.

Nergens was iets bijzonders te zien.

Ten einde raad haalde hij de antieke kast leeg, die
helemaal achterin stond.

Ook niks.

Toen besloot hij woedend de bodem van de kast te
slopen.

Ergens moest een luik of zoiets zitten!

Het geklop was duidelijk onder de grond vandaan
gekomen.

Arno sleurde de gereedschapskist naar zich toe.

Hij zocht een beitel uit en begon te wrikken.

Het was zwaar werk.

En hij wilde niet teveel lawaai maken.

Stel je voor dat de tantes naar beneden zouden

komen stormen!

Opeens schoot een van de planken met een luid gekraak los.

Toen was de rest niet zo moeilijk meer.

Eén voor één lichtte Arno de planken uit de bodem van de kast.

Na de derde slaakte hij een kreet van opwinding.

Onder de kast zat een luik in de vloer!

Hij zag duidelijk een grote ijzeren ring.

Ongeduldig rukte hij de laatste planken weg.

Het kon hem niet meer schelen dat hij daarbij herrie maakte.

De beitel kletterde op de plavuizen.

Opgewonden greep Arno de ring en trok er hard aan.

Het luik was loodzwaar, want op de houten plaat waren plavuizen vastgemaakt.

En toen... leek het of iemand van onderaf duwde!

Plotseling schoot het luik los.

Arno tuimelde achterover de kast uit.

Het luik donderde met geweld op de vloer.

Geschrokken richtte Arno zich op zijn armen half op.

Met uitpuilende ogen keek hij naar de kast.

Daar rees uit het gat in de vloer iets omhoog.

Het leek een monster.

Het was grijs, warrig en harig en er vielen brokjes puin van hem af.

Het spook van Villa Poetskatoen

Arno was zich een ongeluk geschrokken.
Hij slikte en slikte en krabbelde ruggelings naar de
deur.
Het hoofd van het wezen zwaaide verdwaasd heen en
weer.
Toen kreeg het Arno in de gaten.
Arno zag twee glinsterende ogen tussen de haardos,
die hem priemend aankeken.
Of... glommen er lachlichtjes in?
Arno stond klaar om weg te rennen, maar hij móest
het weten.
Hij vatte moed en vroeg met trillende stem:
'B... bent u graaf Stetterbeen?
D... de graaf die zijn vrouw en zeven dochters
vermoordde?
Bent u een spook?'
Het grijze ding schudde het stof uit zijn haren en
begon hard te lachen.
'Een spóók, ik?
Ha, als dat zo was jochie, zou ik allang door de
muren zijn ontsnapt!
Ik heb veertig jaar in die vervloekte kelder
opgesloten gezeten!'
En het spook dat geen spook was, kroop moeizaam
uit de kast.
Toen klonk er opeens een ijselijke gil bovenaan de

41

keldertrap.

'Jeremias!'

Met een ruk draaide Arno zich om.

Daar stonden tante Hillechien en tante Hillegonda in de deuropening.

Ze zagen spierwit en wankelden.

Achter hen tuurde Lodewijk met een bleek gezicht naar het tafereel in de kelder.

'Lieve help, de twee Hilletjes!' bulderde het spook.

'Zusjes, wat zijn jullie groot geworden!'

Met vijf sprongen was hij bovenaan de trap.

Hij liet een spoor van vieze vegen, zand en puin achter op de plavuizen.

Huilend vielen het spook van Villa Poetskatoen en de tantes elkaar in de armen.

We metselen níks dicht!

Even later zaten ze allemaal in de salon.
De tantes hadden niet eens in de gaten dat er
moddervoeten op het tapijt kwamen.
Met grote blije ogen keken ze naar hun verloren
gewaande broer.
Die vertelde wat er veertig jaar geleden gebeurd was.
'Ik was zo vaak vies en vuil, vader en moeder kregen
er wat van.
Dan weer kwam ik met een gescheurde broek thuis.
Dan weer zat de blubber tot achter mijn oren.
Vaak sloten ze me ten einde raad een middag in de
kelder op.
Natuurlijk nooit in de voorraadkelder, dan zou ik

maar taartjes jatten!

Nee, in de kelder ónder de kelder...

Dáár zou ik tenminste even schoon blijven.

Ze hebben me ook wel eens in mijn slaapkamer
gezet.

Maar dat lukte niet, ik klom gewoon door het raam
naar buiten!'

Oom Jeremias bulderde van het lachen bij de
herinnering.

'Op een dag sloten ze me weer eens in de kelder op.

En toen vergaten ze me helemaal.

Waarom, dat weet ik niet.

Misschien in alle drukte, want ons hele huis werd
toen verbouwd.

Op diezelfde dag werd er per ongeluk een zware kast
op het luik gezet.

Wat ik ook probeerde, ik kon er niet meer uit!'

De tantes sloegen hun handen voor hun gezicht.

'Vreselijk!' stamelden ze.

'Vader en moeder hebben het vást niet geweten!

Ze hebben zo'n verdriet om je verdwijning gehad!

En wat gebeurde er toen?'

'Toen?'

Oom Jeremias grinnikte.

'Toen was het eigenlijk zo slecht nog niet.

Ik kon eindelijk doen wat ik altijd al wilde, maar wat
ik nooit mocht!

Ik timmerde hutten en groef gangen en maakte me

hártstikke vuil!
Ik temde vier ratten en liet ze eten voor me weghalen
uit de voorraadkelder.
Ze konden door een klein gaatje in de plint kruipen.
Ik maakte mijn eigen paradijs onder de grond en was
er zelf koning!'
Lodewijk en Arno keken hun oom met grote ogen
aan.
'Dus dát is het geklop dat we al die jaren gehoord
hebben,' stotterde Lodewijk.
'Geen spokenstreken van een griezelige geest, maar

jouw getimmer!'

'Mogen wij eens in die kelder?' vroeg Arno
nieuwsgierig.

'Natuurlijk maatjes,' zei oom Jeremias.

'Maar éérst... wil ik in bad!'

Hij grinnikte en keek zijn zussen aan.

'Het zal wel gek klinken van jullie kleine broertje,'
lachte hij vrolijk.

'Maar een dampend warm bad lijkt me heerlijk na
veertig jaar!

En daarna laat ik jullie en de jongens mijn
ondergrondse paleis zien.'

Tante Hillegonda trok wit weg in haar gezicht.

'Nooit van mijn leven!' griezelde ze.

'Mij krijg je dat gat niet in!'

'Dat vieze gat dat metselen we dicht,' zei tante
Hillechien effen.

Oom Jeremias proestte van schrik zijn thee in de
rondte.

'Mijn paradijs?

Daar blijf je met je tengels af!' riep hij.

'We metselen níks dicht!'

Ruzie

Het werd doodstil in de salon.
Arno en Lodewijk maakten zich zo klein mogelijk.
Ze staarden naar de boze grote mensen.
Tante Hillechien keek zo pinnig als een spijker.
Oom Jeremias had een hoofd als een tomaat.
Tante Hillegonda begon zenuwachtig te redderen met
het porseleinen theeservies.
'Wie nog een lekker kopje thee?' hinnikte ze.
Tante Hillechien maakte een beweging of ze een
lastige vlieg wegjoeg.
Toen snibde ze: 'Broertje, ik ben blij dat je er weer
bent, echt waar.
Maar de tijd dat je een smerig, vies, vuil klein
jongetje was, is voorbij.
Je bent nu volwassen en je hebt twee neefjes.
Die hoor je het goede voorbeeld te geven.
Gedraag je dus netjes en kalm, was je oren en houd
je kleren keurig.
Ik heb er mijn handen vol aan om dit huis fatsoenlijk
schoon te houden.
Ik wens geen vuiligheid, óók niet van mijn lieve,
lastige broertje Jeremias!'
Oom Jeremias' mond was open gevallen en zijn ogen
rolden bijna uit zijn hoofd.
Toen begon hij bulderend te lachen.
'Maar mijn lieve Hillechientje, wat ben je toch een

kattenkop!

Nog even bazig als vroeger!

Luister grote zus.

Ik vind het heerlijk om weer in een echt bed te
slapen.

Met schone lakens en in een schone pyjama.

En ik vind het zalig om weer eens lekker te kunnen
badderen.

Maar jullie krijgen mij niet als een opgeprikte pop
op een stoeltje, schattebouten.

En die twee arme jongens ook niet, mag ik hopen.

We willen een bende leuke dingen doen, hè knullen?

Daar word je nu eenmaal vies van.

Morgen laat ik deze bengels mijn paradijsje onder de
kelder zien.

En als jullie niet mee willen, brave zusjes, best, dan
blijf je maar boven.

Wij gaan onder de grond spelen zo vaak als we maar
willen.

Punt uit!

En maak je nou maar geen zorgen over de
viezigheid.

Ik vind er wel wat op.

Jeremias is niet voor één gat te vangen.'

En daar moesten de tantetjes het mee doen.

Tegen oom Jeremias konden ze niet op.

Arno en Lodewijk glunderden.

Het plan van oom Jeremias

De volgende dag nam oom Jeremias de jongens mee naar de kelder.

Daar lieten ze zich één voor één door het gat in de vloer zakken.

De kelder onder de kelder werd helder verlicht door tientallen kaarsen.

'Hebben mijn ratten ook gejat,' grijnsde Jeremias trots.

Arno en Lodewijk keken verrukt rond.

Oom Jeremias had gewelven uitgehakt en pilaren gebeeldhouwd.

Er stonden zeventien getimmerde hutten, de een nog mooier dan de ander.

Grinnikend wees hun oom naar stapels planken en balken, en naar een slingerende hamer.

'Er lag hier genoeg materiaal om een paleis te bouwen, dat was boffen.

En gereedschap te over!'

Verderop was een kanjer van een vijver gegraven die vol grondwater stond.

Er dreef een vlot met piratenvlag op.

Daaromheen zwommen vier zwarte ratten.

Ze piepten toen ze oom Jeremias zagen en klommen op zijn schouders.

Arno stootte zijn oom aan.

'We zouden een schommel kunnen maken aan die

balk daar,' zei hij.

Hij wees naar een hoge hut waarvan de nokbalk een
heel eind uitstak.

'En een loopbrug van die hut naar die daar!' riep
Lodewijk enthousiast.

Dat had hij een keer op tv gezien.

Oom Jeremias wreef in zijn handen.

'Prima ideeën, knullen, maar eerst moeten we iets
anders fabrieken.

Ik heb vannacht iets bedacht.

We gaan een waterval maken bij de uitgang van de
kelder.

Als we hier uitgespeeld zijn, kunnen we daaronder
douchen.

Dan komen we schoongeboend Hillechientjes keuken
in.

Wat zeg je daarvan?

Geen suffe douche of saaie tobbe, maar een echte
oerwoud-waterval!

We hakken namaakrotsen en maken een nepbeek,
dan stroomt het water naar mijn rattenvijver.'

'Gaaf idee oom!' zei Arno, 'wij blij en de tantes blij!

Maar waar halen we al dat water vandaan?'

'Let op knul, aan alles is gedacht.

Ik tap gewoon de waterleiding in de keuken af!

Het wordt een waterval die je aan en uit kunt zetten!'

'Jippie!' brulde Lodewijk en hij greep een tang.

'Waar wachten we nog op?'

Rook uit het kelderraam!

Toen oom Joep een week later thuiskwam, zag hij
rook uit het kelderraam komen.
Op slag vergat hij alles wat met computers te maken
had.
Met twee treden tegelijk stormde hij het blinkende
bordes op.
Hij rukte de deur open en vloog naar de salon.
Daar zat tante Hillechien te breien met opeen
geknepen lippen.
Ze zag er afgetobd uit.
'Brand, brand!' schreeuwde oom Joep.
'Welnee,' bitste Hillechien en rukte nijdig aan haar
wol.
'Dat zijn die bandieten in de kelder.
Jeremias, dat grote kind, en Arno en Lodewijk.
Geen land mee te bezeilen.
Nou, ze doen maar, zolang er maar geen vieze voet
over mijn drempel komt.'
Oom Joep begreep er niets van.
Verbaasd liep hij naar de keuken, waar hij gekletter
van water hoorde.
Het kwam uit de kelder.
De kelderdeur stond op een kier en oom Joep duwde
hem verder open.
Het vertrek was puntje precies geboend en blinkend
als altijd.

Het gekletter en de rook stegen op uit een gat in de vloer.

Het gezicht van oom Joep werd één groot vraagteken.

Hij beende over de plavuizen naar het gat en stak zijn hoofd erin.

Daar keek hij recht in Arno's lachende gezicht.

Zijn neefje stond glunderend te spetteren onder een enorme waterval.

Het water stroomde kletsend over zijn rug.

Het gutste schuimend over een paar rotsblokken en nepvarens en bruiste de kelder in.

'Hé hallo, die oom Joep!' glunderde hij.

'Ik moet me even schoon schrobben.

Anders mag ik tantes keuken niet in, en ik heb poedersuiker nodig.

Hoe gaat-ie, goeie reis gehad?'

Oom Joep keek ongerust naar de rook die in wolken opwalmde uit het keldergat.

Hij hoestte en snoof.

'Wat is dat toch, wat ruik ik toch?' vroeg hij.

Arno keek grinnikend over zijn schouder.

'O dat,' grijnsde hij.

'Het spook van Villa Poetskatoen bakt poffertjes vandaag!'

'Weet je wat ik graag zou willen?' mijmerde oom Jeremias.

Ze lagen lui op hun rug te wiegen op het vlot in de keldervijver.

Morgen zou Arno opgehaald worden door zijn ouders, dan was de vakantie voorbij.

'Nou, wat dan?' vroeg Lodewijk loom.

Hij voerde de ratten om beurten brokjes boterham met hagelslag.

'Ik zou willen dat ik een heuse dolfijn in mijn vijver had!'

Lodewijk lachte zo hard dat het vlot gevaarlijk begon te schommelen.

'Een dolfijn!' schaterde hij.

'Hoe zou je hem noemen?'

'Je zou 'm Spetter moeten noemen!' riep Arno enthousiast.

'Want het is een spetterende vakantie geweest!!'

'Stel je voor,' zuchtte oom Jeremias dromerig.

'Een dolfijn in mijn vijver, jammer dat dat niet echt kan!'

Lachte daar iemand onder het vlot?

In Spetter zijn verschenen:

Annie van Gansewinkel: Stijn Klein
Henk Hokke: Hannes Vergiet vergeet alles?
Ibis: Het spook van Villa Poetskatoen
Wouter Klootwijk: De caravan van Jan Zwartje
Martine Letterie: Cowboy Stinky Bill
Lydia Rood: De middag van Mimoen
Tais Teng: Hocus, Pocus, oei!
Sylvia Vanden Heede: Een schooierkat met zeven vlooien

Spetter is er ook voor kinderen van 6 en 7 jaar.

Boeken met dit vignet zijn op niveaubepaling geregistreerd en gecontroleerd door KPC Groep te 's-Hertogenbosch.

0 1 2 3 4 5 / 04 03 02 01 00

ISBN 90.276.8894.x • NUGI 220

Vormgeving: Rob Galema (studio Zwijsen)
Logo Spetter en schutbladen: Joyce van Oorschot

© 2001 Tekst: Ibis
Illustraties: Hugo van Look
Uitgeverij Zwijsen Algemeen B.V. Tilburg

Voor België:
Uitgeverij Infoboek N.V. Meerhout
D/2001/1919/129